歷代名人年譜卷第九

南海吳榮光撰

信都譚錫慶覆校正
嘉定瞿樹辰
南海吳尚志 校字

	紀年	時事	生卒
庚午	明 景帝景泰元年 名祁鈺○葬金山	正月始命輸納者給冠帶○郭登敗瓦剌於栲栳山封定襄伯○五月總督侍郎侯璡破貴州蠻○朱謙敗瓦剌兵於宣府封撫甯伯○七月也先遣使請和遣右都御史楊善等報之○八月上皇至自瓦剌入居南宮○苗忠罷○以刑部侍郎江淵入內閣預機務○九月御經筵○十一月禮部尚書胡濙請令百官賀上皇生日不許	王文恪濟之鏊生
辛未	二年	正月令軍民輸納者世襲武職○度僧道五萬餘人○二月遣都督僉事孫安守備獨石○秋復午朝○十二月廣通王徽煠陽宗王徽焟謀逆廢為庶人○立團營○以禮部侍郎王一甯祭酒蕭鎡入內閣預機務○也先弒其主脫脫不花	林俊生 張古城吉生
壬申	三年	二月戶部尚書金濂下獄尋釋之○三月詔錦衣衛官刺事○五月帝廢故皇太子見深為沂王立子見濟為皇太子○官顏孟二氏子孫各一人○六月建大隆福寺時太監興安用事依	李大匡承基生 王一甯卒於八月

佛甚於王振請帝建大隆福寺費數十萬踰年始成○七月殺內使王璘○十月以左都御史王文入內閣預機務○于謙請解總督軍務不許

四年

四月始令生員納粟爲國子生○十月以徐有貞爲左僉都御史治沙灣河有貞初名埕以議南遷爲帝所鄙大臣累薦不用更名有貞○十一月皇太子見濟卒

蔡虛齋清生

五年

三月命王文巡視江淮水災○減國子生額○八月令兩京市稅輸鈔○十月也先爲阿剌所殺未幾韃靼部孛來復殺阿剌韃靼勢復熾

六年　閏五月

四月韃靼遣使入貢○七月太白晝見御史倪敬疏請罷齋醮游宴止興作未幾都御史蕭維禎考察黜敬爲典史○八月謫大理寺少卿廖莊爲驛丞杖殺御史鍾同錮禮部郎中章綸於獄英宗復辟始釋綸以爲禮部侍郎莊亦復官

張詡生

七年

五月以宋儒周敦頤程頤朱熹後裔世襲五經博士○七月以木工蒯祥石工陸祥爲工部侍郎仍督工匠時稱爲匠官○十二月帝有疾

楊君謙循吉生

王琦卒於正月 三年 八十

英宗天順元年

正月將祀南郊帝與疾宿齋宮武清侯石亨右都御史徐有貞等以兵迎上皇於南宮遂復位

陳光世卒 年十 三八

丁丑

以有貞入內閣預機務下少保
兵部尚書于謙於獄○以許彬
薛瑄爲禮部侍郎入內閣預機
務○改元大赦論奪門功封石
亨忠國公張軏太平侯張輗文
安伯楊善興濟伯進徐有貞兵
部尚書予太監曹吉祥等錦衣
衛世職有貞意未慊數請於亨
日願得冠側注從兄後亨入言
之尋封武功伯○殺于謙王文
籍其家慊酔六戊陳循江淵於
鐵嶺衛斥蕭鎡商輅爲民○二
月廢景泰帝仍爲郕王還之西
內尋薨謚曰戾○高穀罷○以
吏部侍郎李賢入內閣預機務
○三月復立沂王見深爲皇太
子○六月下徐有貞於獄尋竄
金齒貶李賢爲參政○以通政
司參議呂原入內閣預機務○
禮部侍郎薛瑄在閣數月見石
亨等用事遂致仕去○以翰林
院修撰岳正入內閣預機務○
秋許彬罷復以李賢入內閣○
謫岳正爲欽州同知尋下獄杖
戍肅州憲宗嗣位始召還復修
撰○九月以太常卿彭時入內
閣預機務時帝方嚮用李賢數
召賢獨對賢雅重時退必咨之
時引義爭可否或至失色賢初
小忤久之心折曰彭公眞君子
也○十月詔爲故太監王振立
祠帝憫念振復其官刻香木爲

戊寅	己卯	庚辰	辛巳
二年	三年	四年	五年
振形招魂以葬賜祠曰旌忠○釋建庶人文圭文圭建文帝少子方二歲成祖幽之中都至是已五十七出見牛馬亦不能識未幾卒○十二月封太監曹吉祥養子欽爲昭武伯 正月兵部尚書陳汝言有罪下獄籍其家汝言附曹石由郎中驟進尚書陰險貪墨邊將皆出其門得賄無算○五月徵江西處士吳與弼爲左諭德不拜與弼時年六十八矣○十月李賢請罷錦衣官校刺事不許	二月遣御史及中官採珠廣東○幸太監曹吉祥宅○四月方瑛大破貴州苗平苗之功前此莫與比者○十月詔霜降後錄囚著爲令 八月周鼎客石湖陳忍齋所題宋思陵荔支圖卷（張靖父以爲蔡端明進呈本紹興等耶蓋思陵壁藏耳）	正月石亨及其從子彪伏誅○七月謫工部侍郎翁世資知衡州府	五月殺弋陽王奠壏人咸以爲冤○下南雄知府劉實於獄設之實居官三十餘年廉介愛民中官誣之以罪郡民哀而祠之○七月曹吉祥及其養子欽反殺恭順侯吳瑾錦衣僉事逯杲懷寧伯孫鏜討之吉祥欽皆伏誅
	吳小仙偉生 都元敬穆生	祝希哲允明生於十一月六日	

壬午 六年
五月都督僉事顏彪破兩廣猺○廣錦衣衛獄
王行儉卒年八十四 呂原卒

癸未 七年 閏七月
二月以陳文爲禮部侍郎入內閣預機務○四月殺巡按御史李蕃蕃巡按宣大錦衣衛偵事者言其擅撻軍職逮治之又逮東巡按御史楊璡山西巡按御史韓祺並以中官誣奏相次被逮荷校死○十一月下指揮同知袁彬於獄尋釋之
吳匏庵入成均

甲申 八年
正月帝崩遺詔罷宮嬪殉葬○太子見深即位○侍講學士錢溥以罪貶官○二月指揮僉事門達有罪下獄戍之○始命中官傳旨授官○三月放宮人○冬致仕禮部侍郎薛瑄卒年七十二諡文清有讀書錄二十卷皆自言所得學者宗之○始置皇莊○立武舉法
王平川承裕生

乙酉 憲宗成化元年 名見深○葬茂陵
正月遣都督趙輔僉都御史韓雍討廣西猺○開納粟例備兩廣軍餉○二月詔雪于謙寃釋謙子冕還家明年八月復冕官遣行人往祭謙墓○三月帝視國子監○六月奪張瑾楊宗襲爵○冬韓雍破猺於大藤峽明年四月再破其餘黨召趙輔還封武靖伯雍進副都御史留兩廣提督軍務
羅整菴欽順生

二年
三月遣右都督李震討靖州苗破之苗獠畏懾呼爲金牌李○
鄒立齋智生

丙戌　丁亥　戊子

五月李賢以父喪起復○修撰羅倫爲福建市舶提舉○十二月少保華蓋殿大學士李賢卒贈太師諡文達賢每遇災變必與同官極陳無隱所薦引年富軒輗耿九疇王竑李秉程信姚夔等皆爲名臣○以太常寺少卿劉定之入內閣預機務○鎮守開原太監韋朗有罪赦不問

石田年四十石田畫自四十外始拓巨幅

三年

二月御經筵○三月召商輅復入內閣○夏雷震南京午門詔羣臣修省○八月增江西督賦官○十二月杖謫翰林編修章懋黃仲昭檢討莊㫤帝以明年上元張燈命詞臣撰詩詞進奉懋仲昭㫤同疏言今川廣未靖遼左多虞三楚豫章赤地千里正宵旰焦勞之日不宜更耽宴樂且引宣宗皇帝御製翰林箴言張燈豈堯舜之道詩詞非仁義之言乞停止烟火帝以元夕張燈祖宗故事責懋等妄言杖謫之時懋等與羅倫同稱翰林四諫

董蘿石澐生

四年

加番僧封號服食器用僭擬王者其他羽流加號眞人高士者亦盈都下而僥倖由茲進矣

匏庵中京闈

陳文卒

五年

五月以禮部侍郎萬安入內閣預機務○秋御經筵○下刑部

劉定之卒於八月

吳子傳卒倅妣

己丑

郎中彭韶監察御史季琮於獄○十一月起復韓雍總督兩廣開府梧州

庚寅 六年

二月遣使分巡州郡○七月皇子生於西內皇子即孝宗母紀氏賀縣人本土官女征蠻俘入掖庭警敏通文字命守內藏時萬妃專寵而妒後宮有娠者悉墮之帝偶行內藏妃應對稱旨悅幸之遂有娠萬妃知而恚甚令婢鉤治之婢謬報曰病痞乃謫居安樂堂久之皇子生使門監張敏溺焉敏驚曰上未有子奈何棄之稍哺粉餌餡蜜藏之他室貴妃日伺無所得

唐子畏寅生於二月四日

夏仲昭卒於六月年八三

文徵仲徵明生於十一月六日

辛卯 七年

正月以余子俊巡撫延綏○始立漕粟長運法初運漕京師軍民互相轉運曰支運宣德間令民運至淮安瓜州兌支運軍是為兌運至是令運軍徑赴江南水次交兌曰改兌後數年命淮徐臨德四倉之米悉改水次交兌而官軍長運遂為定制○二月增設九江蘇杭鈔關○御經筵○十月命刑部侍郎王恕總督河道○十一月立子祐極為皇太子○十二月彗星見於紫微見閣臣於文華殿時大學士彭時商輅及數部萬安遂頓首呼萬歲欲出時不得已皆叩頭退一時傳笑謂之萬歲閣老帝自是不復召見大臣

湛甘泉若水生

魏驥卒年九八

壬辰 癸巳 甲午

八年

正月太子祐極卒○二月預徵山西河南陝西明年賦以諒搜奪也於是內地騷然
匏庵授修撰

劉廷美珏卒
岳季方卒年五十五
張默齋卒年五十二
李空同夢陽生於十二月七日

九年

正月土魯番據哈密○閱武臣騎射○九月鎮守浙江太監李義殺指揮馬璋不問
十月廿六日陳文恭書潞河詩草於桃源舟中

王陽明守仁生於九月三十日

十年 閏四月

正月命王越總制三邊巡撫總兵而下並聽節制三邊設總制自此始○三月罷總督兩廣右都御史韓雍雍躬親矢石蠻民畏懾命致仕去粵人立廟祀之○閏月築邊墻○十月移哈密衛於苦峪○十二月罷採金○以項忠為兵部尚書

王子衡廷相生
馬伯循理生
何柏齋塘生
杜用嘉卒年七十九
葉與中卒年五十五
陳眞晟卒年六十四

十一年

以吏部左侍郎劉珝禮部右侍郎劉吉入內閣預機務珝性疎直直經筵日講劉定之稱為講官第一帝亦愛重之入閣後每呼東劉先生吉多智數與萬安比○五月始召見皇子於西內帝自悼恭太子薨常鬱鬱不樂一日召太監張敏櫛髮照鏡歎曰老將至而無子敏伏地曰萬歲已有子也帝愕然曰安在太監懷恩頓首曰潛養西內今已六歲匿不敢聞耳帝大喜即遣使迎之至置之膝撫視良久悲喜泣下曰我子也類我遂定名

錢孔周同受生
彭時卒於三月諡文憲
康對山海生於六月二十日

		祐樘頒詔中外○六月皇子母紀氏暴卒○八月浚通惠河即大通河元郭守敬所鑿○十一月立子祐樘爲皇太子○以朱英總督兩廣軍務○十二月改謚郕戾王爲景皇帝	
丙申	十二年	五月命副都御史原傑撫治荆襄流民以襄陽所轄鄖縣拓其城置府曰鄖陽設湖廣行都司以傑薦詔擢御史吳道宏大理少卿撫治鄖陽襄陽荆州南陽西安漢中六府鄖陽有撫治自此始傑以功進右都御史踰年卒部民爲立祠○九月令太監汪直刺事	周行之用生 顧華玉璘生
丁酉	十三年	正月置西廠以太監汪直領之○六月斥兵部尚書項忠爲民○謹身殿大學士商輅引疾歸○八月錦衣衛執工部尚書張文質下獄	陸子淵深生於八月十日 唐虞佐龍生 黃潤玉卒年八十九
戊戌	十四年	二月皇太子出閣就學○汪直行遼東邊	李谷平中生 崔後渠銑生 羅一峰卒年四十八
己亥	十五年	正月修開國功臣墓○四月以方士李孜省爲太常寺丞許密封奏請孜省因與中官梁芳等表裏爲奸干亂朝政○五月下兵部侍郎馬文升於獄謫戍汪直勘事遼東文升不爲禮恩有以中之及還劾以行事乖方下獄謫戍并詰責諸言官容隱不劾奏廷杖李俊等五十六人	徐昌穀禎卿生 穆伯潛孔暉生 韓苑洛邦奇生 呂仲木柟生

干支	年	紀事	人物
	十六年	二月王越襲韃靼於威寧海子破之論功封威寧伯	安民泰國生
	十七年	四月命司禮監同法司錄囚○十月以道士鄧常恩爲太常寺卿	錢允治生於十二月十四日
壬寅	十八年	二月罷西廠○四月罕愼復哈密城進罕愼左都督	夏公謹言生 蔣道林信生 陳白陽道復生於七月一日 翁襄敏卒年六十九
癸卯	十九年	王越免編管安陸州並斥右都御史戴縉爲民韋瑛亦坐事誅人皆快之○九月召廣東舉人陳獻章爲翰林檢討尋乞歸自是屢薦不起○旌表僧繼曉母朱氏	王心齋艮生 顧箬溪應祥生 何大復景明生於八月六日
甲辰	二十年	六月以思柄爲孟密宣慰使 沈石田年五十八始號白石翁金琮爲製白石翁印石田用此印是年始	孫太初一元生 季彭山生 舒梓溪芬生 胡居仁卒年五十一
	二十一年	正月朔星隕有聲詔羣臣陳闕失吏科給事中李俊率科臣上疏帝優詔答之降左通政李孜省上林丞太常卿鄧常恩本寺丞繼曉革國師爲民斥罷傳奉官五百餘人中外大悅時兩京諸臣爭應詔陳言給事中盧瑀御史汪奎主事張吉南京員外郎彭綱等言尤愷直帝以方修省不罪然心忌之密諭吏部尚書尹旻出俊瑀等且書六十人姓名於屏俟奏遷則貶遠惡地	文溫州卒年四十一

未幾俊璃等相繼貶斥或以他事下吏孜省常恩等仍復官寵愈甚○三月泰山震太監梁芳韋興爲奇技淫巧結萬妃歡累朝金七窖俱盡一日帝視內藏語芳等曰吾不汝瑕後之人將汝計矣芳大懼說貴妃勸帝廢太子會泰山連震占者謂應在東宮帝心懼寢其事○四月以康永韶爲禮部右侍郎明年以尹旻黨斥爲民○九月劉珝罷○十一月召馬文升爲兵部尚書○十二月以彭華爲吏部左侍郎入內閣預機務華大學士時族弟也與萬安李孜省相結皆得入閣明年遂尹旻羅璟人皆

望而畏之踰年得風疾去

三月李賓之題高房山山村隱居圖卷於懷麓堂

二十二年

九月罷南京兵部尚書王恕出馬文升代之恕先後應詔陳言凡五十餘上皆力阻權倖天下傾心慕之時爲謠曰兩京十二部獨有一王恕於是近貴皆側目帝亦厭苦之是年起用傳奉官恕諫尤切帝愈不悅令致仕○逮廣東布政使陳選道卒○遣刑部侍郎何喬新聽訟播州○以尹直爲戶部左侍郎入內閣預機務

張允清寰生
何善山廷仁生
李介庵卒年三十五

二十三年

正月皇貴妃萬氏卒帝震悼輟朝七日○二月以李孜省爲禮

聶雙江豹生
徐橫山憂生

部右侍郎○八月帝崩九月太子祐樘卽位○太監梁芳都督萬喜禮部右侍郎李孜省等有罪減死謫戍冬復逮下獄十二月孜省死○十月罷傳奉官奪僧道封號○萬安罷安時年七十餘在道猶望三台星冀復用○追謚母紀氏爲孝穆皇太后○以禮部侍郎徐溥入內閣預機務尋進禮部尚書兼文淵閣大學士○十一月召王恕爲吏部尚書以馬文升爲左都御史○尹直罷以劉健爲禮部侍郎入內閣預機務

南瑞泉大吉生

周伯器卒年七十八

張汝弼卒於六月年六十三

孝宗宏治元年

名祐樘○葬泰陵

正月以何喬新爲刑部尚書喬新以剛正爲萬安劉吉所忌至是以王恕薦召用之○二月帝耕籍田禮畢宴羣臣教坊以褻伎進馬文升厲色曰新天子當知稼穡艱難豈宜以此瀆亂宸聽卽斥去之○封哈密衛左都督罕愼爲忠順王○中官郭鏞請選淑女庶子謝遷上言罷之○三月帝視國子監○御經筵命儒臣日講○南京吏部主事儲巏上言遂起用言事降謫主事張吉王純中書舍人丁機進士李文祥敖毓元○四月釐正祀典○十月妖僧繼曉伏誅○土魯番殺忠順王罕愼復據哈密

楊用修慎生

謝樗仙時臣生

七月匏庵自白下歸爲沈石

田跋趙松雪所臨黄庭經册

己酉 二年

二月下監察御史湯鼐於獄戍之○以馬文升為兵部尚書兼提督團營○七月詔求直言○十二月賜少保于謙諡忠愍立祠墓所

薛君采蕙生

庚戌 三年

十一月有星孛於天津詔羣臣言闕失

劉雨峰文敏生

黄才伯佐生

辛亥 四年

二月逐番僧○三月逮兩廣總督秦紘尋免歸○八月罷刑部尚書何喬新○十月以禮部尚書邱濬兼文淵閣大學士尚書入閣自濬始至六年二月內宴濬遂居吏部尚書王恕之上其後由侍郎詹事入者班皆列六部上矣○十二月召秦紘為南京戸部尚書○土魯蕃以哈密歸封元裔陝巴為忠順王鎮之

鄒東郭守益生

婁一齋卒[illegible]

鄒立齋卒[illegible]

壬子 五年

五月求遺書○六月下御史彭程於獄尋遣戍○八月劉吉罷吉與萬安劉珝在憲宗朝無所救正時有紙糊三閣老泥塑六尚書之謠○十月更中鹽法○十一月停納粟例

王文成舉浙江鄉試年二十一○姚公綬是年七十一

黄洛村宏綱生

魏水洲良弼生

癸丑 六年 閏五月

二月錄常遇春李文忠鄧愈湯和裔世襲指揮使○河決張秋以劉大夏為副都御史治之更名張秋鎮曰安平鎮○土魯蕃復據哈密○閏月吏部尚書王恕罷○秋刑部尚書彭韶罷

楊斛山爵生

詔昌言王色與王恕何喬新稱三老然每爲貴戚近臣所疾故致仕去

李空同成進士

甲寅 七年

二月詔羣臣言闕失。三月巡撫貴州都御史鄧廷讚平黑苗設府一日都勻州二日獨山麻哈縣一日清平苗患漸息。七月命工部侍郎徐貫經理蘇杭水利。八月以李東陽爲禮部侍郎兼翰林學士典誥敕

王履吉寵生於十一月八日

陳明水九川生

乙卯 八年

以禮部侍郎李東陽少詹事謝遷入內閣預機務。七月以宋儒楊時從祀孔廟。十二月復哈密後二年土魯番以陝巴來歸仍令爲忠順王鎮哈密

彭孔嘉年生

邱仲深卒年七十八

張自在卒年六十五

匏庵擢吏部右侍郎

丙辰 九年

四月以周經爲戶部尚書。下給事中龐泮御史劉紳等於獄。六月詔舉將才。十二月刑部吏徐珪請革東廠黜爲民

錢緒山德洪生

歐陽南野德生

陸叔平治生

史明古卒於六月 [illegible]

丁巳 十年

三月召大臣議政文華殿。五月小王子寇潮河川指揮劉釗等戰死。六月命戶部侍郎劉大夏督理宣大軍餉不雨月儲積充羨。十月起王越總制三邊軍務。簡閱禁兵

柯奇純維騏生

程松溪文德生

華子潛察生

皇甫子安滂生

文壽承彭生於四月十三日

王仲山問生

十一年

三月皇太子出閣講讀。七月王越襲小王子於賀蘭山破之論功進越少保。會李廣得罪死

萬鹿園表生

王汝中畿生

林東城春生

戊午	己未	庚申	辛酉	壬戌
	十二年	十三年	十四年	十五年
言官劾廣黨皆及越越聞憂恚卒○九月華蓋殿大學士徐溥以疾乞歸踰年卒贈太師謚文靖○太監李廣有罪自殺 空同授戶部主事○唐子畏中鄉試第一年二十九	四月更定律例○火篩寇大同游擊將軍王杲禦之敗績都指揮鄧洪及官軍九百餘人皆死命平江伯陳銳爲靖虜將軍充總兵官侍郎許進提督軍務○前禮部主事楊循吉請復建文位號不從 文成成進士年二十八	六月火篩寇大同言官劾陳銳等無功乃召還以保國公朱暉充總兵官侍郎史琳提督軍務益兵往禦比至寇已退乃還○九月下行人司行人王雄於獄貶其官 正月文徵仲畫文信國公像 沈石田詩合卷	四月火篩及小王子連兵入寇復命朱暉帥師禦之○九月召秦紘總制三邊軍務○十月以馬文升爲吏部尚書劉大夏爲兵部尚書○十二月人篩等出河套詔朱暉還	七月王軾破米魯斬之
皇甫子循汸生	鄭室甫曉生 莊定山卒年六十三	王世昌卒年七十八 陳公甫卒年七十三	文休承嘉生 何吉陽遷生 金元玉卒年五十二 高子業叔嗣生於十二月十四日	袁永之袠生 文德承伯仁生 錢海石薇生 何喬新卒年七十六

十六年

四月遣南京刑部侍郎樊瑩巡視雲貴

匏庵進禮部尚書。是歲米元暉雲山得意卷巳爲閔朝英宮保所得九月十六日匏庵跋緣會純父書暉爲章之誤遂目爲米老

張介夫節生

尤西川時熙生

張志仁後覺生

十七年

三月太皇太后周氏崩定祔廟制。五月罷中官監織造命鎮巡官領之。命兩京五品以下官六年一考察四品以上自陳著爲令。火篩入大同指揮鄭瑪戰死。八月置東西衛軍。九月復置起居注。十一月貶大理少卿吳一貫爲嵩明州同知

羅念庵洪先生

吳原博七月十日卒於官年七十

八月石田題王孟端墨竹小幅於平安齋

李承基卒年四十五

十八年

二月御經筵學士張元禎請講太極圖西銘等書亟索觀之喜曰天生斯人以開朕也元禎清癯長不踰中人先是充日講帝特設低几聽之。五月帝大漸召劉健李東陽謝遷至乾清宮執健手曰先生輩輔導辛苦朕備知之東宮年幼好逸樂先生輩當教之讀書輔導成德健等歔欷受命辛卯召東宮諭以法祖用賢午刻崩年三十六太子厚照即位

空同進員外郎下獄釋之。

徐昌穀成進士

武宗正德元年

名厚照〇葬康陵

四月吏部尚書馬文升罷以焦芳代之〇十月以劉瑾掌司禮監華蓋殿大學士劉健武英殿大學士謝遷戶部尚書韓文並罷瑾東宮舊豎也帝即位與其黨馬永成等用事時號八虎先是健東陽等以瑾輩蠱惑上心請誅之事垂濟焦芳洩其謀於瑾瑾等趨泣帝前曰若司禮監得人左班官安敢如是帝即命瑾掌司禮監韓文再疏諫不聽健遷即日乞休瑾既得志遂以事褫韓文職瑾每奏事必偵帝為戲弄時帝厭之亟麾去曰吾用若何事乃溷我自此遂專決不復白每於私第批答章奏辭率鄙冗焦芳為潤色之東陽頫首而已〇以焦芳為文淵閣大學士吏部左侍郎王鏊入內閣預機務〇除曲阜孔氏田賦

空同進郎中〇文成謫龍場驛丞

歸熙甫有光生

周訥溪怡生

陳玉汝卒年六十七

二年

三月劉瑾矯詔榜奸黨於朝堂〇劉健謝遷既去瑾憾不已矯詔列健遷等五十三人為奸黨〇赦各鎮守太監預刑名政事〇五月度僧道四萬人〇六月逮前總制三邊都御史楊一清下獄李東陽王鏊力救尋釋之〇八月作豹房帝朝夕處其中〇十月以楊廷和為文淵閣大學士

唐應德順之生

戊辰 三年

六月劉瑾敕朝士三百餘人下獄○九月逮前兵部尚書劉大夏下獄戍肅州時大夏年已七十三布衣徒步過大明門下叩頭去觀者歎息泣下

空同下獄康對山救免之

錢叔寶穀生
陳子兼鎏生
趙大洲貞吉生
吳小仙卒於五月（年五十）
蔡虛齋卒於五月（年五十六）

己巳 四年

四月王鏊罷鏊乞休家居十四年廷臣交薦不起年七十五卒謚文恪○六月以劉宇爲文淵閣大學士張綵爲吏部尚書劉瑾初通賄望不過數百金宇首以萬金贄瑾瑾大喜遂晉吏部尚書至是瑾欲用綵代宇乃令入閣宇宴瑾閣中極驩明日將入閣任事瑾曰爾眞欲相耶此地豈容再入宇乃乞省墓去

陸與吉樹聲生
莫子良如忠生
王道思愼中生
沈啟南卒於八月二日（年八十三）
黃志淳瀍水生於十月二十六日

庚午 五年

二月以曹元爲文淵閣大學士○三月以洪鍾總制川陝河南鄖陽軍務○四月安化王寘鐇反游擊將軍仇鉞討平之論功封咸寧伯○五月焦芳罷劉瑾濁亂朝政荼毒縉紳皆芳導之每過瑾言必稱千歲自稱曰門下比張綵爲尚書芳納賄薦人無虛日瑾數於衆中斥責之芳不得已乞歸瑾敗斥爲民○六月帝自稱大慶法王帝於佛經梵語無不通曉鑄大慶法王西天覺道圓明自在大定慧佛金印自稱法王其後帝習韃靼語自名忽必烈習回回語自名妙

賀醫閭卒（年七十四）

吉敖爛習番僧語自名領古班丹○八月劉瑾伏誅怨家爭賭其肉生噉之附瑾者皆竄逐朝署爲清○曹元以罪免○九月以劉忠梁儲爲文淵閣大學士

辛未　六年

正月以楊一清爲吏部尚書○二月起左都御史陳金總制江西軍務立東鄉萬年二縣時金倚土兵力不能禁其嗜殺剽掠士民深怨焉○劉忠罷○十二月以費宏爲文淵閣大學士

王東厓襞生
徐昌穀卒於三月年三十三
劉時雍卒於五月諡忠宣年七十六

壬申　七年

八月召洪鍾還以彭澤代之○賜義子一百二十七人並姓朱氏○十二月李東陽以老病乞休許之家居四年卒贈太師諡文正

茅順甫坤生
高肅卿拱生

癸酉　八年

正月召陳金還以俞諫代之明年連破賊於貴溪東鄉賊平○八月土魯番據哈密

朱性甫卒於七月二十五日年七十七

甲戌　九年

正月乾清宮災○二月以靳貴爲文淵閣大學士○五月費宏罷○九月謫編修王思爲驛丞時帝狎虎被傷踰月不視朝思疏入謫爲驛丞○十一月廢歸善王當沍爲庶人當沍自殺○十二月營乾清宮加天下賦百萬

李于鱗攀龍生
周公瑕天球生
海剛峰瑞生
張詡卒年六十

十年　閏四月

閏月以楊一清爲武英殿大學士時楊廷和以憂去用一清代之○十一月遣太監劉允使烏思藏

十一年

五月錄自宮男子三千四百人

袁抑之洪愈生

充海戶。八月楊一清罷時義
子錢甯用事一清以災異陳時
政譏切近侍甯與江彬等惡之
使優人於帝前爲蜚語一清力
請骸骨歸。以蔣冕爲文淵閣
大學士
文成陞南贛巡撫明年正月
至贛

楊椒山繼盛生於
五月十七日辰
時
李文正賓之卒於
七月年七十

十二年
閏十二月

四月靳貴罷。五月以毛紀爲
東閣大學士。八月帝微行至
宣府。九月帝自稱總督軍務
威武大將軍總兵官。十一月
召楊廷和復入閣

胡廬山直生
呂愧軒潛生
徐橫山卒年三十一

十三年

正月帝還京師留十四日復如
宣府楊廷和等諫不聽。二月
太皇太后王氏崩。帝還京師

張古城卒年六十八

歷代名人年譜

卷九　明　武宗

二十

。七月帝自加封鎮國公復如
宣府
何大復督學陝西。文成平
江西賊

十四年

二月帝還京師。帝自加太師
勅諭南巡閣臣及科道皆切諫
不聽郎中張衍瑞等百餘人相
繼抗疏諫帝怒甚執六人下鎮
撫司掠治餘百人跪闕前五日
旋杖死者十一人。六月宸濠
舉兵反殺都御史孫燧兵備副
使許逵王守仁討平之。十二
月如南京
五月十四日徵仲題王孟端
墨竹小幅次石田韻

文基聖肇祉生

十五年

閏月帝發南京。九月漁於積
滿子謙生

庚辰

閏八月

水遂有疾。十月至通州十二月誅宸濠帝還京師

孫太初卒年四十七

辛巳

十六年

三月帝崩於豹房。平虜伯江彬有罪下獄。四月迎興王厚熜至京師入即位。召費宏復入閣。詔議崇奉興獻王典禮。五月梁儲罷吏部尚書王瓊以罪戍邊。以袁宗皋爲文淵閣大學士宗皋由進士授興府長史帝即位擢吏部侍郎尋入閣以疾辭不許未幾卒。江彬伏誅李琮神周錢寧等皆棄市時京師久旱彬誅遂大雨。七月以喬宇爲吏部尚書文成暨南京兵部尚書封新建伯

徐文長渭生於二月四日

朱石門旭生

王明遠樵生

何大復卒於八月五日年三十九

壬午

世宗嘉靖元年 名厚熜。葬永陵

二月甘肅軍亂殺巡撫都御史許銘詔陳九疇爲僉都御史撫定之誅總兵李隆。礦盜流劫山東河南及兩畿指揮楊浩戰死都御史俞諫討平之

徵仲貢於成均

徐叔明學謨生

王塘南時槐生

癸未

二年 閏四月

春禮部尚書毛澄罷澄端亮有學行帝敬憚之雖數忤旨恩禮不衰至是以疾歸道卒贈少傅謚文簡。以宋儒朱熹裔孫墅爲五經博士。閏月帝始修醮於宮中太監崔文誘帝建醮宮中日夜不絕給事中劉最劾文左道糜帑帝怒謫戍極邊其後帝以無嗣益修齋醮命夏言充監禮使湛若水顧鼎臣充導引

王新甫宗沐生

陳蒙山嘉謨生

劉忠卒

唐子畏卒於十二月二日年五十四

甲申

三年

官。鼎臣進步虛詞七章帝嘉之
自此詞臣多以青詞干進矣
四月徵仲至京授翰林待詔

二月楊廷和罷言官交章請留不報○三月罷禮部尚書汪俊以席書代之故事禮部長貳率用翰林官書進不由廷推喬宇等交章詆之書錄上大禮考議遂趣入朝○五月蔣冕罷以石珤為文淵閣大學士○六月以張璁桂萼為翰林學士方獻夫為侍講學士璁萼同為南京主事以議禮驟貴於是閣罷失職武夫小吏皆望風希指抗論廟謨矣○七月罷吏部尚書喬宇○詔稱獻皇帝為皇考羣臣伏

王文恪濟之卒年七十五

乙酉

四年　閏十二月

闕諫戍學士豐熙等於邊杖員外郎馬理等於廷自是衣冠喪氣璁等勢益張孝宗遂改稱伯考○毛紀請宥伏闕諸臣罪帝責其要結朋黨罷歸○八月大同軍亂殺巡撫都御史張文錦參將賈鑑以蔡天祐為僉都御史往撫之至冬復亂殺知縣王文昌明年天祐縛斬三十餘人眾始定○以賈詠為文淵閣大學士○十二月起楊一清為兵部尚書總制三邊一清自是三為總制溫詔褒美比之郭子儀

正月仁壽宮災○五月復傳陞官○作世廟後更名獻皇帝廟○八月營仁壽宮

項子京元汴生
宗子相臣生
都元敬卒於九[illegible]

丙戌 五年

袁永之領薦應天第一

三月定有司久任法○五月召楊一淸以吏部尚書復入閣

文徵仲告歸○王慎中成進士年十八

二十三日年六十七

王元美世貞生

李成梁生

祝希哲卒年六十七

林俊卒年七十六

丁亥 六年

二月小王子寇宣府參將王經開山戰死○費宏石珤罷○召謝遷復入閣○三月以翟鑾爲吏部侍郎入內閣預機務○五月以羅欽順爲吏部尚書辭不拜欽順見璁萼用事屢召不起家居杜門潛心格致之學所著有困知記卒諡文莊○王守仁撫降田州蠻○六月詔科道官互相糾劾○八月下刑部尚書顏頤壽等於獄賈詠罷桂萼等

張伯起鳳翼生

章本淸潢生

鄧潛谷元錫生

劉希賢卒於三

諡文靖年九十四

舒梓溪卒年四十四

戊子 七年

請編欽明大獄錄頒示天下○以桂萼爲禮部尚書○十月以張璁爲文淵閣大學士璁深恨諸翰林會侍讀汪佃講洪範不稱旨璁請自講讀以下量林補外於是改官及被黜者二十餘人并罷選庶吉士翰苑爲空

徵仲到家築玉磬山房

徐魯源用儉生

王泰闕之士生

八年

二月起王瓊爲兵部尚書總制三邊○三月謝遷罷○六月頒明倫大典於天下倒前華蓋殿大學士楊廷和等籍○九月王守仁平斷藤峽猺

十月楊升庵藏經紙詩翰册九幅

正月兵部尚書兼左都御史新

文元發生 書文

庚寅　己丑　辛卯　壬辰

九年

建伯王守仁卒年五十七喪過江西軍民無不縞素哭送隆慶初贈侯謚文成○二月以桂萼爲武英殿大學士○八月張璁桂萼罷九月召張璁還楊一清罷○十月朔日食戌刑部員外郎邵經邦於邊衛○除外戚世封著爲令從方獻夫請也○復召桂萼入閣

楊廷和卒於六月謚文忠
李空同卒於九月二十九日年五十九

十年　閏六月

三月皇后親蠶於北郊○五月作四郊○十一月更定孔廟祀典尊孔子曰至聖先師

楊一清卒於四月謚文襄

正月桂萼罷萼以病乞歸未數月卒○閏月前少傅武英殿大學士謝遷卒年八十三遷與劉健李東陽同輔孝宗稱賢相時人爲之語曰李公謀劉公斷謝公尤侃侃卒贈太傅謚文正○七月張孚敬罷孚敬即璁也以犯帝嫌名帝予書改之○八月改安陸州爲承天府○九月以李時爲文淵閣大學士○十一月以夏言爲禮部尙書○十一月召張孚敬復入閣○十二月戌監察御史喻希禮石金於邊衛

十月徵仲作袁安臥雪圖於停雲館明年十一月十日復書安傳於卷末而識之

十一年

正月祈穀於圜邱命武定侯郭勛攝事遣代此始自○四月復常遇春李文忠鄧愈湯和劉基世爵○五月以方獻夫爲武英殿大

孫雪居生

學士○八月彗星見東井凡一百十有五日乃滅編修楊名應詔上言下獄戍邊○張孚敬罷

癸巳

十二年

正月召張孚敬復入閣○十月下建昌侯張延齡於獄削昌國公張鶴齡爵○大同兵亂殺總兵官李瑾千戶張欽鼎總制劉源清以張瓚代之前指揮馬昇楊麟始擒斬首惡以獻

王履吉卒於四月年四十

董蘿石卒年六十七

甲午

十三年　閏二月

四月削給事中張選籍○方獻夫罷

三月陸師道爲錫山華補菴跋宋拓定武蘭亭○九月徵仲作絹本山水小立軸運筆極工秀孫退谷以之比有北宋

王元馭錫爵生

王荆石生於七月二十一日

安民泰卒年五十四

乙未

十四年

正月罷督理倉場中官○二月作九廟○四月張孚敬罷○召費宏復入閣○八月詔九卿會推巡撫官

王百谷穉登生

許敬菴孚遠生

申時行生於八月十六日

費宏卒於九月謚文憲

丙申

十五年　閏十二月

正月以劉天和爲兵部左侍郎總制三邊○五月毀禁中佛殿○十二月以道士邵元節爲禮部尚書元節在龍虎山於嘉靖二年召入京封眞人班二品至是以皇儲生嘉其禱祀功拜尚書○以夏言爲武英殿大學士

呂叔簡坤生

王敬美世懋生

于愼行生

丁

十六年

十一月逮故昌國公張鶴齡下詔獄太后衣敝襦席藁爲請不許瘐死獄中

高子業卒年三十七

陽不飭賄賂公行臣職憲紀宜
先罷斥意蓋斥嚴嵩張瓚輩也
帝但諭留而已

庚子 十九年	正月召翟鑾復入閣○四月詔 勳戚子弟入監肄業○八月殺 太僕卿楊最隆慶初贈副都御 史諡忠節○九月劉天和敗吉 囊於黑水苑斬其子小十王進 天和南京戶部尚書 秋唐荆川草書詩册廿一幅	王心齋卒年五十八 觀鼎臣卒於十月 康對山卒於十二 月年六十六
辛丑 二十年	二月下監察御史楊爵於獄時 帝經年不視朝日事齋醮工作日 頻興歲頻旱元旦微雪夏言嚴 嵩作頌稱賀爵撫膺太息上疏 歷陳諸弊帝震怒立下詔獄搒 掠血肉狼籍死一夕復甦主事	蔡羽卒於正月三 薛君采卒於正月 年五十三 林東城卒年四十四 焦弱侯竑生

丙[illegible]　戊戌　己亥

十七年

十八年
閏七月

十二月倪師原製與中諸賢江南春副卷

六月部議明堂大饗禮下戶部侍郎唐胄於獄。八月以顧鼎臣爲文淵閣大學士時夏言當國鼎臣素柔媚不敢與抗惟充位而已越二年卒。九月尊獻皇帝廟號睿宗祔於太廟

二月立子載壡爲皇太子封載垕爲裕王載圳爲景王。起翟鑾爲兵部尚書行邊。以曾子裔孫質粹爲世襲五經博士。六月復以梁材爲戶部尚書。雷震奉先殿詔廷臣自陳都御史王廷相奏曰人事修而後天道順大臣法而後小臣廉令廉

唐凝庵鶴徵生
張陽和元忭生
王平川卒年七十五
李時卒於十二月

穆孔暉卒年六十一
陳白陽卒於十一月二十六日年五十八

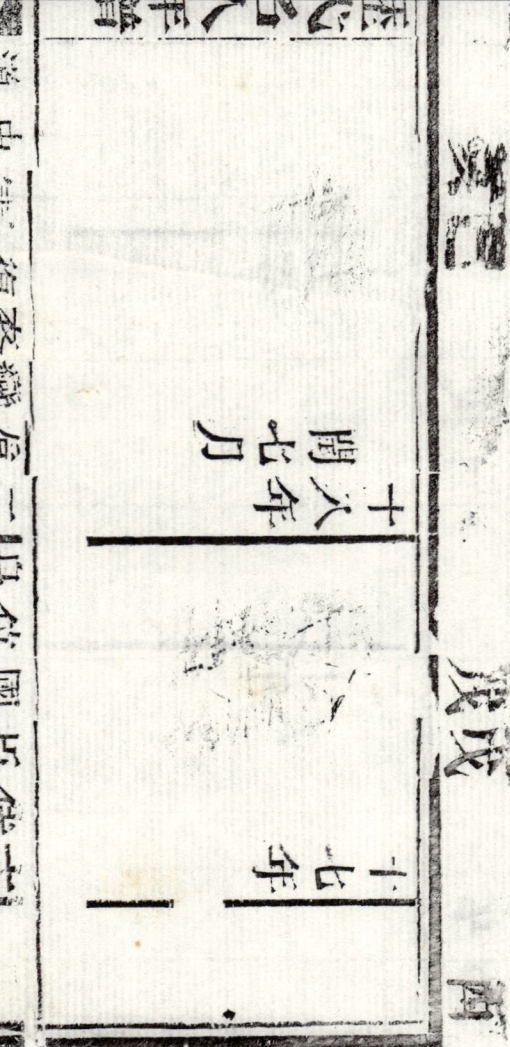

周天佐御史浦鋐疏救先後死獄中自是無敢言者○四月置安南都統使司○五月以兵部侍郎王以旂總理河漕

崔銑卒於五月年[illegible]
南瑞泉卒年五十五

壬寅 二十一年 閏五月

秋夏言罷以嚴嵩爲武英殿大學士○俺荅寇山西參將張世忠等戰死○九月作雷壇錮工部員外郎劉魁於獄○十月宮婢楊金英謀逆伏誅殺端妃曹氏久之帝始知妃冤

四月仇實父模清明上河圖卷越三年乙巳二月竟事○徵仲題高房山山村隱居圖卷次仇仁近韻

趙煥生
李谷平卒年六十五
呂仲木卒年六十四

癸卯 二十二年

十月朵顏入寇攻圍墓田谷殺守備陳舜副總兵王繼祖等往援乃退

何柏齋卒年七十

甲辰 二十三年

八月翟鑾罷○九月以許讚爲文淵閣大學士張璧爲東閣大學士時大權一歸嚴嵩讚璧不得預票擬讚嘗嘆曰何奪我吏部使我旁睨人因屢乞休○十一月加方士陶仲文少師

彭孔嘉是年五十

楊君謙卒年八十九
王子衡卒年七十一
陸子淵卒於七月年六十八

巳酉 二十四年 閏正月

楚王世子英燿弒其父顯榕伏誅○九月夏言復入閣○前少師華蓋殿大學士毛紀卒紀歷仕四朝守正不阿家居二十年諡文簡○九月召夏言復入閣帝微覺嵩貪橫復召用言○十一月許讚罷

顧華玉卒年七十
張璧卒於八月
魏校卒於十一月

二十五年

謫御史周冕爲通海縣典史[illegible]

戊申　己酉

太子生十一年尙未出閣講學皇[illegible]晃極言預教不可緩帝怒謫之○四月以兵部侍郎曾銑總督陝西三邊軍務○十月故建昌侯張延齡棄市
王元美補州學生秋舉應天鄉試

二十六年 閏九月

十一月大內火釋楊爵等於獄
元美會試中式殿試二甲進士○楊椒山登進士

李本甯維楨生
張仲玉生
章藻生
袁永之卒年四十六
羅整菴卒年八十三
周行之卒年七十二
鄭樗仙卒年六十

二十七年

正月夏言罷○三月殺總督侍郎曾銑○十月殺前華蓋殿大學士夏言年六十七隆慶初詔復官謚文愍

楊晉菴東明生

二十八年

元美授刑部主事○十月廿一日徵仲寫醉翁亭圖小卷并書醉翁亭記於其後

二十九年 閏二月

二月以張治爲文淵閣大學士李本爲少詹事入內閣預機務
俺答寇宣府大同把總江瀚指揮董暘戰死總兵周尙文擊敗之斬其魁未幾尙文卒○皇太子載壡卒○七月倭寇浙東御史陳九德劾巡撫朱紈擅殺紈仰藥死亂益甚終嘉靖世無甯日
夏俺答犯大同總兵張達林椿戰死八月犯京師詔以仇鸞爲

錢孔周卒年七十五
楊斛山卒年五十七
顧叔時憲成生
趙高邑生

庚戌

大將軍節制諸路兵馬楊守謙爲兵部侍郎提督軍務制下犒師牛酒諸費皆不知所出戶部文移往復越二三日軍士始得數餅餌帝趣戰甚急兵部尚書丁汝夔以咨嚴嵩嵩曰塞上敗可掩輦下敗不可掩寇飽自颺去耳鸞等皆不敢戰寇焚掠三日始引去鸞尾之兵潰諸將收斬遺屍以捷聞加鸞太保賜金幣汝夔守謙棄市○謫中允趙貞吉爲荔波典史○九月以仇鸞總督京營戎政○廢鄭王厚烷爲庶人帝修齋醮諸王爭進香厚烷獨上居敬窮理克已存誠四箴演連珠十章以神仙土木爲戒帝怒下其使於獄孟津王祐善遂許厚烷謀不軌於是廢而幽之其世子載堉篤學有至性痛父非罪見繫築土室宮門外席藁獨處者十九年隆慶初厚烷復爵載堉始入宮○十一月祧仁宗祔孝烈皇后於太廟

湯若士顯祖生　八月十四日
張治卒於十月

辛亥

三十年

正月戍錦衣衛經歷沈錬於邊錬劾嚴嵩黷賄及夏邦謨謟諛均請斥罷帝怒搒之數十謫佃保安○三月開馬市於大同宣府
元美在刑部圉員外郎○椒山以諫馬市貶狄道典史○四月文三橋於玉磬山房作

唐叔達時升生
邢子愿侗生
何善山卒年六十六

壬子 三十一年

三月置內府營。以徐階為東閣大學士初階由夏言薦嚴嵩忌之乃精治齋詞迎帝意左右亦多為地者遂入閣。七月以王忬巡撫浙江備倭時賊已蔓延明年春大舉入寇浙東西江南北濱海數千里同時告警破昌國衛陷上海城流刼乍浦金山太倉崇明常熟嘉定又明年掠蘇州松江薄通泰陷嘉善崇明縱橫往來忬不能禦乃移忬巡撫大同。八月仇鸞死詔戮其屍。○罷馬市。○十月築京師外城。○十二月殺光祿寺少卿馬從謙

仇實父模本清明上河圖記

翁萬達卒於十二月

癸丑 三十二年 閏二月

七月俺答大舉入寇大同總兵李淶戰死明年薊遼總督楊博悉力禦之乃遁

元美旋里

元美以倭寇之警挈家吳中秋暮抵都。椒山正月二日劾嚴嵩

朱白民鷺生

甲寅 三十三年

正月朔以賀表違制杖六科給事中於廷。○五月命張經總督江南浙江軍務討倭。○七月詔勛戚大臣入直西內。黜駙馬都尉鄔景和為民

元美在刑部任陞郎中。○二月徵仲題唐子畏伏生授經圖軸

曹貞孚沛生

顧涇凡允成生

歐陽南野卒年五十九

錢海石卒年五十三

三十四年

二月遣趙文華督視海防。○[illegible][illegible]文敏元宰其昌

乙卯

閏十一月

月殺總督尚書張經趙文華劾經養寇失機疏方上經大破倭於王江涇文華攘其功謂已與巡按胡宗憲督師所致嚴嵩復從中搆之遂斬經於西市天下冤之

十月椒山爲嚴嵩所害（年四十）臨刑賦詩曰浩氣還太虛丹心照千古生平未報恩留作忠魂補天下涕泣傳誦之○閏月二十日余仲蔚觀李希古采薇圖卷於王藎忠氏跋而系之以辭

生於正月十九日

湛甘泉卒（年八十五）

馬伯循卒（年八十二）

韓苑洛卒（年七十七）

丙辰

三十五年

三月以趙文華爲工部尚書胡宗憲總督軍務前年秋倭眾直犯南京應天巡撫曹邦輔以捷聞文華忌其功與宗憲親搗倭於松江之陶宅大敗奪氣乃定計招撫以寇息請還比還朝倭警日至嚴嵩雖爲曲解帝意終不釋會吏部尚書李默發策試選人中言漢武征四夷而海內虛耗唐宗攻淮蔡而晚業不終文華劾其誹謗默坐死帝以是謂文華忠進尚書加太子太保文華盛毀總督楊宜而薦宗憲遂擢宗憲兵部侍郎總督諸軍討倭○五月復遣趙文華視師倭警遝至部議再遣大臣督師嵩令文華自請行遂命兼右副都御史提督軍務旣而宗憲俘陳東平徐海文華以大捷聞歸

萬鹿園卒（年五十九）

功上元帝嘗加文華少保蔭子錦衣千戶。九月徽王載埨有罪廢爲庶人自殺

八月李攀龍自直隸順德府升陝西按察使司副使提調學校。元美除山東按察使司副使備兵青州

丁巳

三十六年

四月奉天華蓋謹身三殿災帝下詔引咎修齋五日止諸司封事。九月趙文華有罪免削下舉朝稱賀其子懌思戍邊。殺前錦衣衛沈鍊鍊劾嵩謫戍保安塞外人稔知嵩惡爭詈嵩以快鍊路楷巡按宣府世蕃遂屬其與總督楊順誣鍊名於蔚州妖人閻浩詞中斬於宣府市。

胡宗憲誘降海盜汪直誅之

元美抵青州任撰次西曹所作詩爲金虎集三十二卷又別集六卷。五月徵仲仿鵲華秋色卷

戊午

三十七年　閏七月

十月禮部進瑞芝凡一千八百六十本部廣求徑尺以上者

元美撰次朝廷典故爲丁戊小識後更爲識小錄即弇山堂別集之初稿也。王敬美舉順天鄉試

陳仲醇繼儒生

黃貞父汝亨生

范長倩允臨生

馮用韞琦生於十一月晦日

己未

三十八年

二月辛愛寇灤河逮薊遼總督王忬詔獄論死

嵩陽帖歸項氏。元美撰次詩文爲海岱集十二卷少陽叢談二十卷。敬美登進士

文徵仲卒於二月二十日年九十

楊用修六月卒於永昌年七十二

王慎中卒年五十

三十九年

○項墨林裝宋游昭秋林醉牧圖并題識之

蔣道林卒年七十八

程松溪卒年六十三

正月以鄢懋卿總理鹽務舊制無一人總理四運司者懋卿以嚴嵩力總理兩浙兩淮長蘆河東鹽政驟增鹽課四十餘萬其按部常與妻偕行製五綵輿令十二女子舁之道路傾駭淳安知縣海瑞供帳簡抗言貧邑不能容車慈谿知縣霍與瑕亦清鯁不屈懋卿嗾巡鹽御史袁淳劾之俱削籍及嵩敗懋卿以賦戍邊○二月南京兵亂殺總督糧儲侍郎黃懋官事聞追褫懋官誅叛卒三人而三人已前死兵自此益驕

葉園適茂才生

唐應德卒年五十四

宗子相卒年三十六

元美以父尙書公論大辟北行入都十一月與弟敬美扶櫬抵里

四十年　閏五月

十一月以袁煒爲武英殿大學士煒與李春芳嚴訥郭樸以青詞進並號青詞宰相○萬壽宮災宮在西苑帝自二十一年宮婢之變即徙居此時適暫移玉熙宮火作乘輿服御及先世寶物盡燬

張允清卒年七十六

黃洛村卒年七十

四十一年

五月嚴嵩以罪免其子世蕃下獄嵩積失帝歡帝欲逐之御史鄒應龍因抗疏極論嵩父子不法遂罷嵩下世蕃及其客羅龍文於獄擢應龍通政司參議侍郎魏謙吉等數十人皆坐黨

徐元扈光啓生

高存之攀龍生

繆西溪昌期生

鄒東郭卒年七十二

陳明水卒年六十九

壬戌	癸亥	甲子	乙丑
	四十二年	四十三年 閏二月 四十四年	四十五年 閏十月

於壬戌凡十一年

…歸後六年寄食某舍以死○土蠻寇遼東總兵黑春把總田耕等力戰死○八月加戶部尚書高燿太子少保○九月三殿成更奉天曰皇極華蓋曰中極謹身曰建極○十一月分遣御史求方書帝晚年求方術益急陶仲文死乃命御史姜儆王大任分行天下訪求方士及符籙秘書閱二年還朝上所得法秘數千册爲方士唐秩劉文彬等數人皆授大官俱擢侍講學士○倭陷興化府總兵俞大猷副總兵戚繼光擊破之閩患少熄浙江海倭變起壬子而消息

十月辛愛把都兒入寇大掠順義三河諸將趙溱孫臏戰死京師戒嚴大同總兵姜應熊敗寇於密雲乃退詔誅遼塞總督楊選

李彭山卒年八十
聶雙江卒年七十七

二月伊王典楧有罪廢爲庶人國除
三月袁煒罷○嚴世蕃伏誅○
四月以嚴訥李春芳爲武英殿大學士十一月訥以疾罷歸
文嘉於五月奉檄閱官籍嚴氏書畫三閱月始畢○元美刊藝苑巵言六卷

孫稚繩承宗生
羅念菴卒年六十一
李君實日華生
顧璘初起元生
程孟陽嘉燧生
孫淇澳愼行生
顧箬溪卒年八十三

二月下戶部主事海瑞於獄穆宗嗣位乃釋之○三月以郭樸爲武英殿大學士高拱爲文淵

彭孔嘉卒年六十
黃才伯卒於七月二十六日年七十七

丙寅

閣大學士。十月俺答寇大同參將崔世榮戰死。十一月帝有疾服方士王金等所獻丹藥故也、十二月帝崩裕王載垕即位徐階草遺詔召用建言得罪諸臣死者䘏錄方士付法司論罪一切齋醮工作及政令不便者悉罷之

元美營別業於隆福寺西建閣貯藏經名之曰小祇林亦稱小祇園

鄭窒甫李[illegible]

丁卯

穆宗隆慶元年

名載垕。葬昭陵

正月罷睿宗配享明堂。二月以陳以勤爲文淵閣大學士張居正爲東閣大學士以勤居正俱侍裕邸講讀至是並參大政。四月御經筵。五月高拱罷。八月帝視國子監。九月俺答寇山西破石州殺知州王亮采。郭樸罷。十月以王崇古總制三邊

元美於是歲春伏闕上疏爲父尚書公辨冤

婁子柔堅生

張震甫一龍生

曾波臣鯨生

戊辰

二年

五月以都督同知戚繼光鎮薊門繼光至鎮議建敵臺千二百所又立車營製拒馬器節制精明器械堅利薊門軍容遂爲諸鎮冠。七月徐階罷。十月遼王憲㸅有罪廢爲庶人初張居正與憲㸅有隙至是憲㸅以巡按御史郜光之劾上遣侍郎洪朝選等往勘居正諷令坐以謀反朝選不從居正怨屬巡撫勞

張異度世偉生

己巳　庚午　辛未

三年　閏六月

堪羅織朝選死獄中

元美於三月詔求直言疏陳八事四月起爲河南按察使司副使整飭大名兵備以病固辭不允抵任擢浙江布使司左參政分守湖州○是月元美跋蘇題文竹卷時卷已爲瑯琊氏物矣○敬美起爲南京禮部主事

周訥溪卒年六十四

四年

八月以趙貞吉爲文淵閣大學士○十二月命礮衛刺部院事○召高拱復入閣

元美於四月抵湖州任

七月禁章奏浮詞○陳以勤罷卒贈太保謚文端○罷戶部尚書劉體乾○九月以李成梁爲遼東總兵官○十月俺答孫把漢那吉內附詔授指揮使尋遣歸○十一月趙貞吉罷卒贈少保謚文肅○以殷士儋爲文淵閣大學士

元美拜山西按察使之命十月得太夫人訃奔喪旋里○是歲敬美遷禮部員外郎先以病辭免未抵家而不得訃

李子鱗卒年五十七

五年

三月封俺答爲順義王○五月李春芳罷○十一月殷士儋罷

沈天培紹滋生

楊大洪漣生

歸熙甫卒年六十六

六年　閏二月

四月以高儀爲文淵閣大學士○五月帝崩太子翊鈞即位○罷中極殿大學士高拱○以呂調陽爲文淵閣大學士○帝御

惲衷白厥初生

文壽承卒年七十六

劉兩峰卒年八十三

高儀卒謚文端

壬申

文華殿講讀○十二月以朱儒羅從彥李侗從祀孔廟

元美於是歲重定藝苑卮言盍爲八卷又附錄四卷九月與弟敬美游洞庭兩山

錢叔寶卒年七十五

癸酉

神宗萬歷元年

名翊鈞○葬定陵

二月御經筵○三月詔舉將才○九月以方逢時總督宣大軍務王崇古入理京營張居正薦逢時代之邊境益安○十一月立章奏考成法自是政體爲肅

元美起湖廣按察八月抵任十月擢廣西布政使司右布政歲暮得擢太僕寺卿之報○敬美仍補禮部○十二月八日清河張應文彝齋手裝蘇蹟

甲戌

二年

閏十二月

正月召見朝覲廉能官布政使謝鵬舉等二十人並賜銀幣

元美於二月北行吳門錢穀叔寶爲作紀行圖起小祗園至廣陵凡卅二幀叔寶弟子張復附公舟北上所至屬圖之又得五十幀九月遷右副都御史撫治鄖陽提督軍務冬赴任○敬美遷尚寶司丞

文文起震孟生
歸文休昌世生
曹能始學佺生
鍾伯敬惺生
柯奇純卒年七十八
錢緒山卒年七十九
黃姬水卒於五月二日年六十六
華子潛卒年七十八
何吉陽卒年七十四

乙亥

三年

八月以張四維爲東閣大學士○九月禮部尚書萬士和罷士和初官庶吉士以忤嚴嵩改部曹累任按察布政使並著清節時以積忤張居正謝病歸卒謚文恭

李長衡流芳生
嚴永思衍生
魏廓園大中生
鹿伯順生
文德承卒年七十四
魏水洲卒年八十四

丙子 四年

元美於是歲輯其前後詩賦文說四部稿次年刻成凡八十卷 三月游太和

正月巡按遼東御史劉臺以罪下獄○二月開草灣河水患稍平○八月帝視國子監

敬美赴江西參議新任取道過隕同元美登太和絕頂○秋元美除南京大理寺卿八月爲南給事楊節論劾回籍自是棲息弇山園祇園小林○九月七日文休承跋趙文敏書淨土詞卷

宋比玉珏生　顧伯欽大章生　劉靜之永隆生　陸叔平卒年八十一　趙大洲卒年六十九

丁丑 五年 閏八月

四月兵部尚書譚綸卒諡襄敏綸終始兵事垂三十年與戚繼光齊名稱譚戚○九月張居正以父喪起復○十月兵部尚書王崇古罷○十一月考察百官

文元發選授浦江知縣

張青甫丑生　吳霞舟鍾巒生　錢康侯士晉生

戊寅 六年

二月以潘季馴總理河漕○三月以馬自强爲文淵閣大學士○七月申時行爲東閣大學士○呂調陽罷○詔選內監三千五百人

沈景倩德符生　張子馨蘭生　王季木象春生　劉念臺生　張志仁卒年七十六　呂愧軒卒年六十二　馬自强卒於十月　高肅卿卒於十二月諡文襄年六十七

己卯 七年

正月毀天下書院時士大夫競講學張居正特惡之盡改各省書院爲公廨○四月張居正上肅雝殿箴

姚孟長希孟生　俞仲蔚卒於八月四日

庚辰　八年

閏四月

元美游峴山

四月遼東都督王元堂寇邊指揮王宗義戰死李成梁擊敗之○七月後軍都督府僉事俞大猷卒大猷負奇節以古賢豪自期其用兵先計後戰所在有功武平崖州儋平皆爲立祠謚武襄○十一月度民田

元美於四月謁曇陽子訪道自稱弟子九月曇陽化去爲作傳敬美書之十月移居白蓮精舍○九月敬美提學陝西

林茂之古度生

尤西川卒年七十八

辛巳　九年

四月戎政尚書方逢時能逢時才畧明練處置邊事悉協機宜五年以宣大總督召理戎政至是以老病乞休去其功名與王崇古相亞世稱方王○五月盡賣民間種馬

敬美乞休旋里別築澹圃於城西南隅

陳明卿仁錫生

陳子兼卒年七十四

壬午　十年

正月免天下逋賦凡二百餘萬有奇是時國最完富太倉粟支十年○逋把亥寇義州李成梁擊斬之成梁封甯遠伯○加張居正太師○以潘晟爲武英殿大學士余有丁爲文淵閣大學士晟尋能○太師中極殿大學士張居正卒謚文忠居正當國起衰振惰幾於富強然持法嚴勇於自任諸不便者多怨之及申時行爲首輔務承帝指由是

周季侯宗建生

孫奇逢鍾元生

張介夫卒年八十[illegible]

丁亥 十五年

敬美升南京太常寺卿

三月詔擠力克襲封順義王。十月南京右都御史海瑞卒年七十四士大夫醵金為斂百姓罷市送者數百里不絕贈太子太保諡文介

元美推補南京兵部右侍郎辭免不允。敬美自南京太常卿辭病歸

汪砢玉生　文肇祉卒年六十九　王東厓卒年七十七

戊子 十六年

三月詔改景皇帝實錄去郕戾王號不果行時上下偷惰詔勅多不奉行

三月朔元美到任謁孝陵游靈谷寺牛首諸山六月請致仕不允

吳思玉麟瑞生　華鳳超允誠生　王敬美卒於六月年五十三　文元發卒年六十六　張陽和卒年五十一

己丑 十七年

正月朔日食免朝賀嗣後每元旦皆不視朝

董文敏選庶常。三月元美子士騏登進士授兵部主事

六月四日元美以三品考滿離任北行抵淮安得陞南京刑部尚書之命遂南還八月二十七日到任冬乞休不允

陳賓日良謨生　莫子良卒年八十一　袁抑之卒年七十四

庚寅 十八年

正月大理評事雒于仁上酒色財氣四箴帝震怒申時行請毋下章奏令其自引去乃免嚴譴然章奏留中遂成故事。二月罷日講。三月以宋纁為吏部尚書。命兵部尚書鄭雒經略邊防

元美於正月乞致仕三月得旨准回籍調理[illegible]

項子京卒年六十六　王秦關卒年六十三

辛卯	壬辰	癸巳	甲午
十九年 閏二月	二十年	二十一年	二十二年
四月朔享太廟是後廟祀皆遣代。六月王錫爵以母老乞歸。八月申時行許國罷。以趙志皋張位爲東閣大學士。十一月遼東總兵官李成梁罷	二月哱拜據甯夏反殺巡撫黨馨遣總兵官李如松會總督魏學曾討平之。三月王家屏罷。夏四月總督河道尚書潘季馴罷後三年卒。五月倭陷朝鮮	正月召王錫爵復入閣。七月吏部尚書孫鑨罷 周公瑕卒年八十	二月皇長子常洛出閣講學時年已十四出閣用東宮儀中外欣慰。吏部郎中顧憲成削籍憲成主文選凡所推舉多與政府牴牾會推閣臣憲成舉王家屏忤帝意削籍歸憲成既廢名益高里故有東林書院爲宋楊時講道處憲成偕同志高攀龍錢一本等講學其中海內聞風景附往往諷議時政裁量人物朝士慕之亦遙相應和由是東林名大著而忌者亦多其後孫丕陽鄒元標趙南星輩相繼講學自負氣節與政府相抗是爲東林黨議之始。五月以陳于
趙靈均均生 李潛初確生 王新甫卒年六十九	王遜之時敏生 孫允執克宏生 王覺斯鐸生 鄧潛谷卒年六十一	倪玉汝元璐生 孫耳伯承澤生 吳聖生麟徵生 徐叔明卒年[illegible]十二	文諏生 徐文長卒年七十三

太子少保

乙未　丙申　丁酉　戊戌

陛沈一貫爲東閣大學士○王錫爵罷○八月以孫丕揚爲吏部尚書丕揚清正不撓百僚無敢干以私者獨患中官請謁乃創爲掣籤法大選急選悉聽選人自掣請寄無所容然銓政自是一變

二十三年

正月詔宗室得就試○復建文年號

楊維斗廷樞生

周公瑕卒於九月年八十二

馮銓生於十一月三日

二十四年　閏八月

七月遣中官開礦其後各省增設稅使都邑關津中使棋布由是民不聊生變亂蠭起

八月王穉登跋文待詔醉翁亭圖小卷於五禽齋

蕭尺木生

陳于陛卒於十二月諡文憲

歷代名人年譜

卷九　明　神宗

四

二十五年

十月以黎惟潭爲安南都統使

陳士業生

陳章侯洪綬生

項孔彰聖謨生

二十六年

四月土蠻犯遼東總兵官李如松出塞遇伏死○六月張位罷○十一月倭遁去官軍分道追擊敗之朝鮮平自倭亂朝鮮七載喪師數十萬糜餉數百萬中國與朝鮮迄無勝算會平秀吉死禍始息○以劉東星爲工部侍郎總理河漕

七月十二日婁子柔爲曹周翰跋米元暉雲山得意卷

毛子晉晉生於正月五日

楊無補補生

金正希聲生

彭務敏行先生

李元英魁春生

王員照鑑生

李映碧生

萬履安泰生

二十七年　閏四月

閏月以諸皇子婚詔取太倉銀二千四百萬兩戶部告匱乃命

譚元孫貞良生

顧汝治夢游生

干支	年	紀事	生卒
己亥		中官嚴覈各省積儲由是外帑日耗 十二月張伯起王百谷爲吳嬰能跋趙松雪頭陀寺碑墨跡卷	王明遠卒於九月一日 年七十九
庚子	二十八年	六月川湖總督李化龍平播州置遵義平越二府分屬川貴 二月晦日董文敏跋趙吳興絹本過秦論○鹿門年九十	盧建斗象昇生
辛丑	二十九年	五月龍山西巡撫魏允貞未幾卒晉人立祠祀之○六月法司請熱審不報○八月復以李成梁鎮遼東成梁時年七十六○九月以沈鯉朱賡爲東閣大學士	查伊璜繼佐生 惲遜菴日初生 金孝章俊明生 趙志皐卒於九月 葛順甫卒 年九十
壬寅	三十年 閏二月	二月帝有疾召沈一貫具詔除弊政翼日疾瘳寢前詔 正月邢子愿病手顫試筆題文徵仲醉翁亭圖小卷	張天如溥生 王敬哉崇簡生
癸卯	三十一年	八月禮部侍郎郭正域罷○十一月獲妖書	陳蒙山卒 年八十
甲辰	三十二年	九月起原任湖廣副使董其昌爲提督本省學政 王百谷是年七十	陳定生貞慧生 陳乾初確生 曾繼起生 許敬菴卒 年七十
乙巳	三十三年	左都御史溫純罷 孫雪居是年七十四	黃蘊生淳耀生 王塘南卒 年八十四 陸樹聲卒 年九十七
丙午	三十四年	七月沈一貫沈鯉罷○十二月棄六傑	王光承生 顧寘臣見龍生 傅青主山生
	三十五年	三月以于慎行李廷機葉向高	姜如農埰生

丁未	戊申	己酉	庚戌	辛亥
閏六月	三十六年	三十七年	三十八年 閏三月	三十九年
爲東閣大學士。十一月于愼行卒愼行爲禮部尚書以請建儲忤帝意家居十餘年召掌詹事不至入閣命下再疏辭不允至京十三日而卒中外惜之	六月李成梁罷。蒙古喀爾喀諸部悉歸我　大清 十月十一日董文敏臨宋拓顏魯公麻姑壇記於楊氏。 章藻是年六十二	葉向高請發言官章疏不報	四月正陽門災給事中周日庠疏入不報 四月李長蘅游善卷洞爲山僧作善卷洞圖並題長句	二月巡撫鳳陽都御史李三才罷。八月吏部侍郎王圖罷是年京察御史金明時以不職懼斥倡言要挾諸當事者主事奏聚奎佐之俱爲孫丕揚劾罷其黨大譁又祭酒湯賓尹諭德顧天埈各號朋徒干預時政謂之宣崑黨以賓尹宣城人天埈崑山人也圖時掌翰林院而祭酒例由掌院注考賓尹屬目紹徽爲之請圖峻拒之二人嫌紹徽及喬應甲皆不聽由是
錢虞孫肅樂生 顧涇凡卒年五十四	成清壇克鞏生 章本清卒年八十二 朱賡卒於十一月	馮孔伯溥生 吳駿公偉業生於五月二十日	金伯玉鉉生 黃太沖宗羲生於八月八日 王元馭卒年七十七 王荊石卒於十二月二十九日年七十七	張考夫履祥生 陳言夏瑚生 徐魯源卒年八十四

辛亥

[illegible]力攻圖[illegible]遂引去[illegible]譲之勢積重不返有齊楚浙三黨之名齊則元詩教周永春韓浚張延登爲首而燕人趙興邦輩附之楚則官應震吳亮嗣田生金爲首而蜀人田一甲徐紹吉輩附之浙則姚宗文劉廷元爲首而商周祚毛一鷺過庭訓輩附之與資尹輩並以攻東林排異己爲事○九月戶部尙書趙世卿上疏去位世卿乞罷出城候命踰年不報乃乘柴車去未幾吏部尙書孫丕揚亦拜疏歸

壬子

四十年 閏十一月

八月以刑部尙書趙煥兼吏部尙書煥素有淸望於朝臣無所

左右頗雅不善東林諸黨人及附東林者咸攻之明年秋罷歸○九月李廷機罷廷機性廉潔然頗深刻初入閣廷臣爭論之累疏乞休不允出居僧寺不視事言者猶攻之不已至是疏已百二十餘上不得命竟歸

錢飮光秉鐙生

錢湘靈陸燦生

周元亮亮工生於四月

高念東生

張爾岐生

杜丁皐濬生

王百谷卒年七十八

顧敘時卒年六十三

劉靜之卒年三十七

癸丑

四十一年

三月加淮揚田賦○詔卜失兔襲封順義王○八月以方從哲吳道南爲東閣大學士時道南在籍踰年乃至

二月董文敏寫溪山秋霽卷於虎邱僧舍

曹潔躬溶生

顧亭林炎武生於五月二十八日

陸集生慶臻生

孫伯度延銓生

四十二年

二月以鄭繼之爲吏部尙書趙煥罷以繼之代之繼之楚人年

馮定遠班生

姜如須垓生

甲寅	乙卯	丙辰	丁巳	戊午
	四十三年 閏八月	四十四年	四十五年	四十六年 閏四月 春正月我太祖高皇帝建元天命元年
八十餘耄而憒一聽楚人黨意指凡與黨人異趣者貶斥殆盡大僚則中以拾遺善類爲空云○三月福王常洵之國○釋楚宗幽禁諸人○八月葉向高罷向高以宿望居相位每事執爭效忠盡帝心重之而其言多格不用至是乞休疏四十餘上詔極哀始允其去		八月皇太子出閣講學皇太子輟講已十有二年羣臣諫疏凡數百上及是始命舉行然一講而輟後不復舉矣○九月兵部請治兵不報	吳道南以母喪罷歸居二年卒是年冬吳文中寫安禪制毒龍神	四月我大清兵克撫順守將王命印死之總兵官張承廕潰戰死七月克清河堡守將鄒儲賢張旆戰死○閏月起楊鎬經略遼東○六月趙煥復爲吏部尚書鄭繼之罷去給事中元詩教以煥爲鄉人老而易制力引煥以代繼之煥年七十七矣比至一聽詩教指揮由是素望益損 五月董文敏觀倪雲林優盋
俞右吉汝 余不遠思 申時行卒於七月十九日年八 宋荔裳生於八月四日	吳接侯晉畫生 查二瞻士標生於九月八日 盛符升生	魏石生裔介生 黃晦木宗炎生	魏環極象樞生 萬祖繩斯年生 湯著士卒年八六	侯朝宗方域生 宋轅文徵輿生 應嗣寅撝謙生 尤展成侗生於閏月 呂叔簡卒於六月八日年三八 施尚白閏章生於十一月二十一日

四十七年

墨池軸兩題記之

四月遣給事中姚宗文閱遼兵○六月命熊廷弼經畧遼東○八月廷臣伏文華門請帝視朝發章奏不報

蔡石公敬傳生
張綱孫生
唐凝庵卒年八十二

四十八年 光宗泰昌元年 名常洛○葬慶陵

七月帝崩太子常洛即位○罷天下礦稅及監稅中官起用建言得罪諸臣○以史繼偕沈㴶為東閣大學士○帝有疾○以何宗彥劉一燝韓爌朱國祚並為東閣大學士召葉向高復入閣○帝召見方從哲等於乾清宮九月朔崩○皇長子由校即位○賜太監魏進忠後改名忠賢世廕封乳母客氏為奉聖夫人○罷熊廷弼以袁應泰經畧遼東○以孫如游為東閣大學士○御史賈繼春削籍○十二月方從哲罷

是年史自八月後為泰昌元年時人筆札則九月望後稱泰昌○董文敏是年秋作秋興冊八幅

魏善伯際瑞生
梁玉立清標生
陸冰修嘉淑生
錢野鶴瑞徵生
吳日千騏生
毛稚黃先舒生
十月十五日焦弱侯卒年八十
滿子謙卒年一壽一百

熹宗天啟元年 名由校○葬德陵

閏二月

閏月孫如游罷○三月我大清兵取瀋陽遼陽經畧袁應泰死之巡按御史張銓副使何廷魁等死之總兵賀世賢副將戚金等戰死○以王化貞巡撫廣甯○太監魏進忠矯詔殺司禮太監王安進忠狠戾不知書以王體乾及李永貞石元雅涂文輔等為腹心凡章奏永貞等先閱視

宋既庭實穎生
笪在辛重光生

鈐識𥸤要白進忠議可否帝性機巧好親斧鋸椎鑿髹漆之事每引繩削墨進忠輒奏事帝厭之謬曰朕已悉矣汝輩好爲之進忠因得擅威福。六月起熊廷弼經畧遼東以張鶴鳴爲兵部尚書。十二月罷吏部尚書周嘉謨

二年

正月我大清兵取西平堡總兵劉渠祁秉忠及副將劉徵戰死羅一貫自刎。二月以孫承宗爲東閣大學士兼領兵部。三月劉一燝罷。帝閱武於禁中。六月以毛文龍爲平遼總兵官。七月沈㴶罷逾年死。八月以孫承宗經畧薊遼。十月左都御史鄒元標副都御史馮從吾罷

董文敏擢太常。黃石齋成進士。十月寶鐘居士作絹本山水小幅

吳仲木昌蕃生

徐昭法枋生

李之芳生

三年

正月以顧秉謙朱延禧朱國楨魏廣微並爲東閣大學士。遣中官刺邊事。四月朱國祚罷。七月史繼偕罷。十月以趙南星爲吏部尚書先是南星爲左都御史與吏部尚書張問達掌京察黜去給事中元詩教趙興邦等天下快之至是問達罷南星代爲吏部。十二月魏忠賢提督東廠。括天下庫藏輸京師

毛大可奇齡生

朱孟九之錫生

嚴蓀友繩孫生

頃復初德新卒

秋董文敏擢禮部右侍郎

四年

六月杖殺工部郎中萬燝。七月葉向高罷。向高先已二十餘疏乞歸，至是請益力，許之。向高有德量，好扶植善類。既去，清流無所依倚，次第戮辱。十月罷吏部尚書趙南星、左都御史高攀龍。十一月削吏部侍郎陳于廷、副都御史楊漣、僉都御史左光斗籍。韓爌罷。十二月朱國楨罷。魏忠賢語其黨曰：此老亦邪人，但不作惡，可令善去。乃加少傅，賜銀幣。

黃石齋授翰林

何宗彥卒於正月
陳其年維崧生
汪苕文琬生
魏叔子禧生
蔣虎臣超生
沈貞蕤荃生
楊晉庵卒（年七十七）
楊大洪卒（年五十四）
鍾伯敬卒（年五十一）

五年

正月崔呈秀復爲御史。三月以朱燮元總督雲貴川湖廣西

計甫草東生
李坦園霨生

軍務。重修光宗實錄。六月朱延禧罷。中旨令閣票稱魏忠賢爲元臣，延禧執不可。御史田景新阿忠賢意攻去之。逮前副都御史楊漣、僉都御史左光斗、給事中魏大中、御史袁化中、太僕少卿周朝瑞、陝西副使顧大章下獄殺之（大中年五十 大章年五十一）。削前吏部尚書趙南星等籍。魏忠賢必欲殺漣等，徐大化教忠賢牽入封疆，坐以納熊廷弼賄。於是先後逮至，拷掠慘酷，體無完膚，至秋俱爲獄卒所斃。大章投繯卒。南星尋戍代州。八月毀天下講學書院。御史張訥請毀東林、關中、江右、徽州一切書

院力詆講學諸臣倘書孫愼行佘懋衡副都御史馮從吾等俱以籍併追奪誥勅元標官誥○以周如磐丁紹軾黃立極馮銓並爲東閣大學士如磐三月卒能歸○魏廣微罷○殺前遼東經畧熊廷弼其子兆珪自刎死武弁蔣應陽爲廷弼稱冤太倉人孫文豸顧同寅作詩詠之俱棄市○十月罷孫承宗以高第代爲經畧○十二月榜東林黨人姓名示天下

正月董文敏拜南京兵部尚書○顧亭林應納穀齋亭之側○二月藍田叔於城曲岪堂寫弄璋圖軸

六年

閏五月

九月我

太宗文皇帝嗣位以明年爲天聰元年

正月作三朝要典○三月高第罷以王之臣督師（時經略罷督師）袁崇煥巡撫遼東○四月逮前左都御史高攀龍吏部員外郎周順昌蘇松巡撫周起元諭德繆昌期御史李應昇周宗建黃尊素攀龍自沈於池順昌等下獄皆殺之（[illegible]）三魏忠賢欲殺攀龍等七人取蘇松織造太監李實空印牒爲疏誣起元巡撫時乾沒帑金十餘萬且與攀龍輩往來講學遂矯旨分逮諸人俱榜掠死獄中〈閏月建魏忠賢生祠浙江巡撫潘汝楨疏請建忠賢生祠於西湖賊殺太監李實請分[illegible]

王子底士祿生

莊澹庵冏生

李本甯卒於六月（年八十）

黃貞父卒（年六十九）

丁紹軾卒

丁卯

七年

[illegible]祠頌勒石記[illegible]書[illegible]幾遍天下○[illegible]以城鳳來張瑞圖李國𣚴為東閣大學士○九月顧秉謙罷○十月進魏忠賢爵上公從子良卿寧國公董文敏請告歸○冬宋比玉自南都還閩

二月召王之臣還○四月下前刑部侍郎王之寀於獄殺之○五月監生陸萬齡請祠魏忠賢於國子監許之萬齡請以忠賢配孔子忠賢父配啟聖公其疏曰孔子作春秋忠賢作要典孔子誅少正卯忠賢誅東林黨人持疏詣司業林釬釬援筆塗抹即夕投冠櫺星門去司業朱之俊為奏請從之釬坐削籍○八月帝崩信王由檢即位○十一月魏忠賢崔呈秀及客氏等皆伏誅田爾耕許顯純等以次伏法○罷諸邊鎮守中官○黃立極罷○十二月以錢龍錫李標來宗道楊景辰黃道登劉鴻訓並為東閣大學士

湯文正孔伯斌生
葉星期燮生
倪闇公燦生
林侗生
朱致一用純生

戊辰

莊烈帝崇禎元年 名由檢

三月施鳳來張瑞圖罷○起周嘉謨為南京吏部尚書踰年卒○四月以袁崇煥督師薊遼○五月李國𣚴罷卒諡文敏○毀三朝要典○六月來宗道楊景辰罷○十月劉鴻訓免尋遣戍

姜西溟宸英生
李辰山延昰生
趙天羽吉士生
勵近公杜訥生
王子撰熙生
顧璘初卒[illegible]

二年

閏四月

○十二月召韓爌復入閣

四月文文起跋趙松雪行書詩贊卷

正月周登道罷。○定逆案。○以楊鶴總督三邊軍務捕流賊。○五月朔日食失驗詔西洋人龍華民等推步以禮部尚書徐光啓爲監督西洋之行自此始。○六月袁崇煥殺毛文龍於雙島○八月朱燮元平水西蠻。○十一月我大清兵下遵化山海關總兵官趙率教入援戰死全軍覆沒巡撫王元雅推官何天球知縣徐澤等皆死之。○以成基命爲東閣大學士。○十二月下督師袁崇煥於獄總兵官祖大壽擁兵奔錦州。○錢龍錫罷以周延儒何如寵錢象坤並爲東閣大學士

二月項孔彰於疑雨齋作鈞清館圖

朱錫鬯彝尊生於八月二十一日未時

李長蘅卒年六十五

三年

正月韓爌罷。三月李標罷。○以溫體仁吳宗達爲東閣大學士。○八月殺前督師尚書袁崇煥逮前文淵閣大學士錢龍錫下獄遣戍

吳梅村中鄉試。○七月十一日董文敏書女史箴竟自記云旋書旋歇十二年矣。○韓逢禧購得宋拓榮芑所跋五字不損眞定武蘭亭敘卷裝褫尚出宋時工匠之手

王西樵生於三月二十五日

黃俞邰生

陸次友棻生

陸稼書隴其生於十月十八日

婁子柔卒年六十四

曹貞寻卒年七十七

四年

夏副將曹文詔敗賊於河曲王嘉允久據河曲文詔絕其餉道嘉允圍之遂遁去已而嘉允為左右所殺其黨推王自用為魁自用結高迎祥張獻忠等賊眾二十餘萬聚山西李自成自延綏往依之號闖將○六月錢象坤罷○八月何如寵罷○九月復遣中官王應朝等監視諸邊軍餉張彝憲總理戶工二部○以洪承疇總督三邊軍務○十一月孫承宗罷

吳梅村會試第一殿試一甲二名年二十三○八月貞一房元得金赤松庚申詩蹟卷○十月于季鸞跋趙松雪臨黃庭經冊謂天下趙書第一

冒辟疆襄生於三月十五日
徐原一乾學生
彭駿孫孫遹生
吳漢槎生
葉園適卒年七十二

五年

閏二月

五月以鄭以偉徐光啟為東閣大學士

董文敏再入都以故官掌詹事

吳漁山歷生
王石谷翬生
王子側士禎生
朱白民卒年八十
王季木卒年五十五
宋比玉卒於十月四日年五十七

六年

六月周延儒罷○九月以錢士升為東閣大學士○十一月以王應熊何吾騶為東閣大學士○賊渡河陷澠池諸縣李自成始別為一軍

宋牧仲犖生於正月二十六日酉時
李斯年緬遠生
惲正叔壽平生
徐彥和秉義生
胡朏明渭生
胡東樵生

七年　閏八月

正月以陳奇瑜總督河南山陝川湖軍務討流賊○十一月陳奇瑜下獄論戍以洪承疇代之○賊自陝西分犯河南江北湖廣陷潁州知州尹夢鼇指揮李從師等皆戰死殺故尚書張鶴鳴

李天生因篤生
梅定九文鼎生
鄭以偉卒於六月
徐元扈卒於十月年七十二
唐賞君務華生
徐公肅元文生
高澹游簡生
唐東江生
高二鮑層雲生
文似卒於六月年十四

八年

四月一日徐守和題米海嶽天衣禪師碑真蹟十九韻於小清閟閣中書之○是年起均年四十四

王貽上士禎生於閏月二十八日亥時

正月賊陷鳳陽留守朱國相等戰死逮漕運御史楊一鵬下獄棄市○六月賊復走陝西總兵曹文詔游擊平安等二十餘人戰死○七月以文震孟張至發為東閣大學士○八月以盧象昇總理江北河南山東湖廣四川軍務討流賊○九月王應熊罷○冬何吾騶文震孟罷

董文敏以禮部尚書兼太子太保致仕○是年李君實陳龍友跋趙文敏頭陀寺碑墨蹟卷

李武曾良年生
熊敬修賜履生
尹湘北天馥生
申叔旆繼生
田綸霞雯生
文與也點生
萬充宗斯大生
李君實卒年七十一
錢康侯卒年五十九

九年　夏四月我文皇帝建國號曰大

正月以林釬為東閣大學士○二月甯夏兵亂殺巡撫王楫副使丁啟睿捕斬首惡六人乃定

閻百詩若璩生
吳汝納爲龍生
查韜荒容生

丙子	丁丑	戊
清改元崇德	十年 閏五月	十一年
○以武舉陳啟新為給事中○四月罷錢士升倒御史詹爾選籍○六月林釬卒以孔貞運賀逢聖黃士俊並為東閣大學士○七月陝西巡撫孫傳庭擊高迎祥於盩厔擒之送京師伏誅○賊黨推李自成為闖王○論廷臣助餉○八月唐王聿鍵起兵勤王廢為庶人錮之○九月以盧象昇總督宣大山西軍務○十月削前工部侍郎劉宗周籍 吳梅村典湖廣鄉試	正月賊犯安慶殺參將程龍陳於王等四十餘人○三月起楊嗣昌為兵部尚書○逮戮失事總兵王忠張全昌○六月溫體仁罷踰年卒○八月以劉宇亮傅冠薛國觀為東閣大學士○十月李自成犯四川總兵官侯良柱禦之於綿州戰死○十二月黃士俊罷	正月裁南京冗官○三月賀逢聖罷○四月張獻忠偽降總理軍務熊文燦受之○張至發罷○六月孔貞運罷○以楊嗣昌程國祥方逢年蔡國用范復粹並為東閣大學士嗣昌兼掌兵部○七月謫少詹事黃道周官○八月傅冠罷○九月我大 清兵入塞薊遼總督吳阿衡敗死燕京戒嚴是冬下畿輔城四十八前大學士高陽孫承宗死
郭華野琇生 唐叔達卒年八十六 董文敏示宰卒年八十二 陳明卿卒年五十六 文文起卒年六十三 姚孟長卒年五十八 鹿伯順卒年六十二	蒲留仙松齡生 韓元少菼生 張敦復英生 顧梁汾生	陳子端廷敬生 黃藻儒揆生 顧憩聞生

十二年

之明年春下山東州縣七十有六執德王由樞布政使張秉文等死之。洪承疇大破李自成於潼關時關中賊略盡張獻忠已降未幾承疇孫傳庭皆入衛北京賊遂不可制。方逢年罷盧象昇兵潰於鉅鹿死之年三十九程孟陽是歲跋方方壺仿米卷誤作小米真蹟蓋方壺此卷未著款耳

正月以洪承疇總督薊遼軍務孫傳庭總督保定山東河北軍務尋下傳庭於獄。二月劉宇亮罷。三月逮治失守封疆諸臣巡撫陳祖苞總兵吳國鎮等三十六人同日棄市。四月程

李分虎符生孫樹峰岳頒生陳仲醇卒年八十二孫稚繩卒年七十六

國祥罷五月以姚明恭張四知魏照乘並爲東閣大學士。張獻忠復叛羅岱被執不屈死。八月命楊嗣昌督師討賊詔拜左良玉平賊將軍

十三年 閏四月

四月逮江西巡撫解學龍及黃道周下獄尋遣戍。以謝陞陳演爲東閣大學士。五月姚明恭罷。六月薛國觀以罪免明年八月賜死。七月張獻忠與羅汝才合官軍敗績於夔州參將汪之鳳戰死。九月李自成走鄖均張獻忠陷劍州時河南斗穀萬錢民盡起爲盜杞縣舉人李信者逆案中尚書李精白子也嘗出粟賑饑民民德之曰

汪季角麟生顏修來光敏生趙靈均卒於五月年五十蔡國用卒於六月葛震甫卒年七十四

庚辰　辛巳

十四年

李公子活我會繩妓紅娘子作亂擄信去強委身事之信不從逃歸有司疑其爲內應執下獄紅娘子來救城中民應之共出信往歸自成約爲兄弟改名巖盧氏舉人牛金星磨勘被斥歸自成爲主謀薦卜者宋獻策長三尺餘上圖讖云十八子主神器自成大悅巖因說自成勿殺人散所掠財物賑饑民復造謠詞曰迎闖王不納糧使兒童歌以相煽於是從賊者日衆

正月官軍敗績於開縣參將劉士傑等戰死張獻忠復東走○李自成陷河南殺福王常洵尚書呂維祺被執不屈死○二月張獻忠陷襄陽殺襄王翊銘貴陽王常法參議張克儉游擊黎民安等死之○三月楊嗣昌自殺○五月范復粹罷○九月陝西總督傅宗龍軍潰於新蔡死之○召周延儒賀逢聖復入閣○十一月李自成陷南陽殺唐王聿鏌總兵官猛如虎參政艾毓初知縣姚運熙等死之

范長倩卒年四十八
張異度卒年四十七
張天如卒年四十
吳接侯卒年七十二
徐振之卒年五十六
張如年卒

十五年　閏九月

二月陝西總督汪喬年軍潰於襄城死之○我大清兵克松山巡撫邱民仰總兵官曹變蛟等死之洪承疇祖大樂祖大壽皆降遂下錦州○三月魏照乘罷○四月謝陞罷○五月張獻忠陷廬州起馬士英總督鳳

張京江玉書生
王茂京原祁生
喬子靜萊生
張子馨卒年五十六
李晉卿光地生於
九月六日
洗尋倩卒年六十

軍務。六月賀逢聖張四知罷。以蔣德璟黃景昉吳甡並爲東閣大學士。七月左良玉兵潰於朱仙鎮諸鎮皆潰。九月李自成決河灌開封城陷拔營西去汝甯陷縛楊文岳於城南以大礮擊殺之時河南郡邑無不殘破朝廷不復設官遺黎各結寨自保中原禍亂於是爲極。十一月大清兵入薊州連下畿南山東州縣魯王以派自知

十六年

正月李自成陷承天自號奉天倡義大元帥稱羅汝才代天撫民威德大將軍尋殺汝才并其衆改襄陽曰襄京設官屬僭號新順王。五月以魏藻德爲東閣大學士。吳甡罷。周延儒罷。張獻忠連陷蘄黃武昌僭號西王以傾與沈楚王華奎於東湖前文淵閣大學士賀逢聖死之。九月黃景昉罷。十月李自成破潼關總督孫傳庭死之遂陷西安諸郡帝遣副將熊通往授通至降於賊併爲賊說總兵周遇吉遇吉斬之傳首京師。十一月以李建泰方岳貢爲東閣大學士。十二月周延儒以罪賜死

萬季野斯同生
張青甫卒年六十七
程孟陽卒於十二月年七十

亭林循例入成均

十七年 右明十六帝二

正月朔李自成僭稱王於西安國號順改元永昌設大學士以

十七年

我
大清
祖章皇帝順治元年

下官封其黨劉宗敏等為侯伯○以范景文邱瑜為東閣大學士○張獻忠寇四川陷重慶殺瑞王常浩陷成都蜀王至澍闔府死○二月李自成陷太原巡別將犯畿南至眞定撫總督徐標降標被執其使李叢非守中軍謝加福等之以城降○陳演魏及京師陷演與魏藻德方岳貢邱瑜俱降賊後皆為賊所殺○李自成陷寧武關總兵官周遇吉力戰死之至大同殺代王傳𤏡○三月蔣德璟罷○李自成陷京師帝崩於萬歲山太監王承恩從死大學士范景文尚書倪元璐侍郎李邦華王家彥孟兆祥副都御史施邦曜大理寺卿凌義渠太常少卿吳麟徵庶子馬士奇諭德周鳳翔劉理順檢討汪偉給事中吳甘來御史王章陳良謨太僕寺丞申佳允員外郎許直主事金鉉成德等皆死之其餘侯伯駙馬及廷臣死難者數十人後數日保定亦陷知府何復內臣方正化皆死之（元器襲祥年皆五十二頁 諡年五十六銓年三十五）○四月吳三桂乞我大清軍破李自成於山海關自成奔永平殺吳襄（三桂之父）走還京師○五月李自成僭帝號於武英殿遂焚九門城樓挾太子定王永王西走我大清軍定京師自成奔

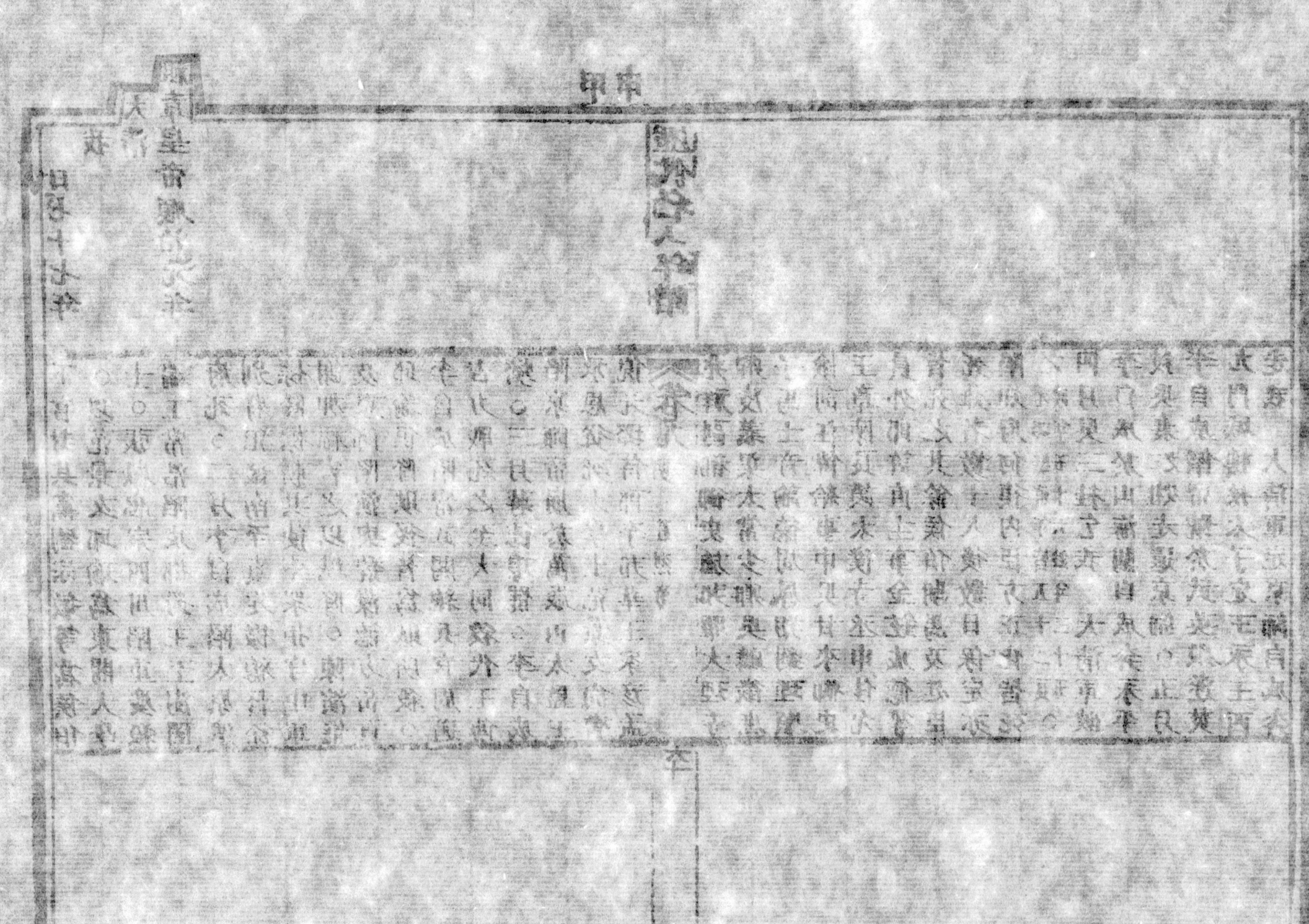

山西○總督馬士英等迎立福王由崧於南都以明年乙酉爲宏光元年五月起古

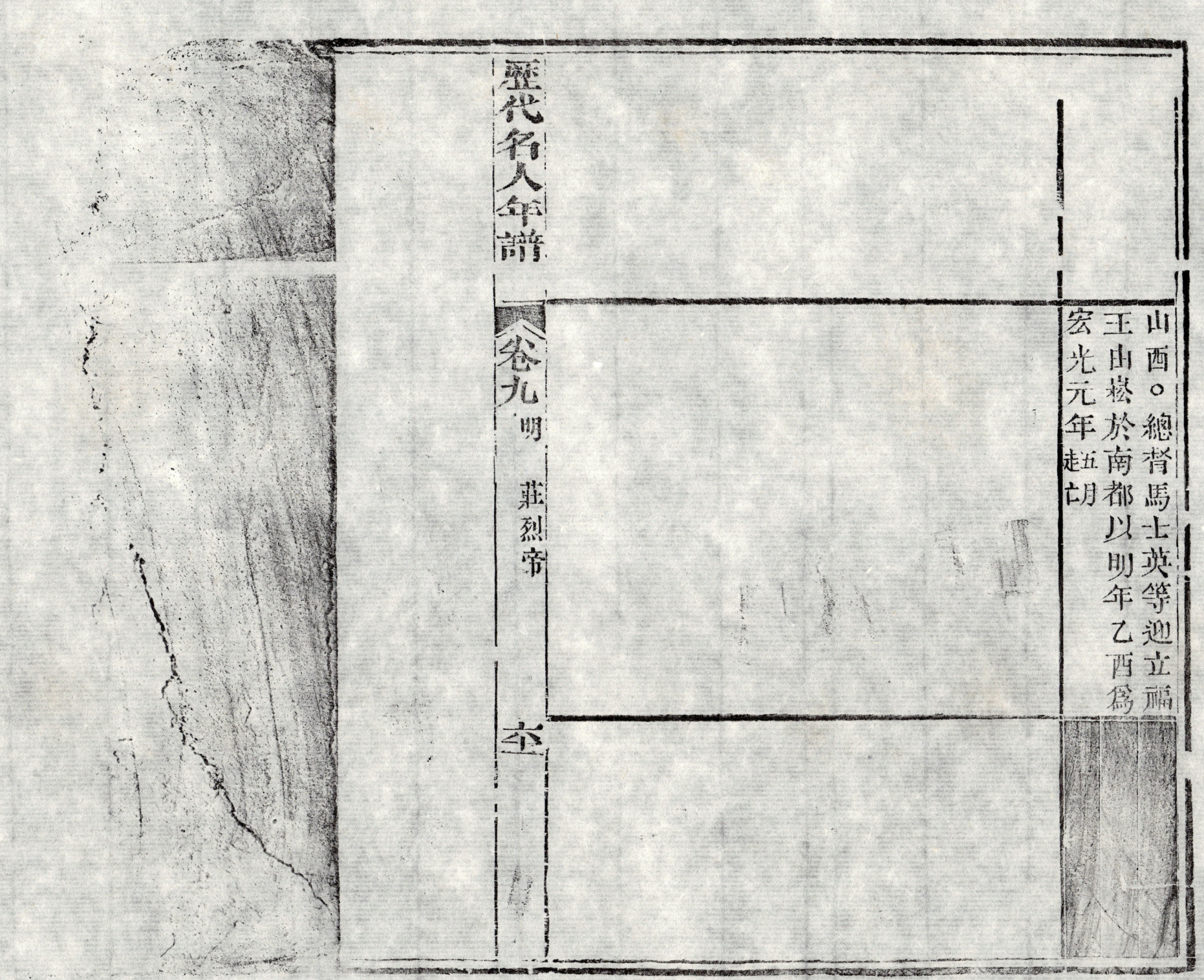